PHILIPPE LEGENDRE

J'apprends à dessiner
les bateaux

EDITIONS FLEURUS

Éditions Fleurus, 15-27, rue Moussorgski, 75018 Paris

À l'attention des parents et des enseignants

Tous les enfants savent dessiner un rond, un carré, un triangle…
Alors, ils peuvent aussi dessiner un voilier, un chalutier ou un drakkar.
Notre méthode est facile et amusante. Elle apporte à l'enfant une technique
et un vocabulaire des formes dont se sert tout dessinateur.

La construction du dessin se fait par l'association de formes géométriques
créant un ensemble de volumes/surfaces. Il suffit ensuite, par une ligne droite,
courbe ou brisée, de donner son caractère définitif à l'esquisse.

En quelques coups de crayon un motif apparaît,
un peu de couleur et voici réalisée une belle illustration.

Cette méthode propose un apprentissage de la technique
et une première approche de la composition, des proportions, du volume,
de la ligne. Sa simplicité en fait une méthode où le plaisir
de dessiner reste au premier plan.

PHILIPPE LEGENDRE

Peintre-graveur et illustrateur, Philippe Legendre anime
aussi un atelier de peinture pour les enfants de 6 à 14 ans.
Intervenant souvent en milieu scolaire, il a développé
cette méthode pour que tous les enfants puissent
accéder à l'art du dessin.

Quelques conseils

1. Chaque dessin est fait à partir d'un petit nombre
de formes géométriques qui sont indiquées
en haut de la page. C'est ce qu'on appelle
le vocabulaire de formes. Il peut te servir à t'exercer
avant de commencer le dessin.

2. Fais l'esquisse du dessin au crayon et à main
levée. Attention, pas de règle ni de compas !

3. Les pointillés indiquent les traits
de construction qui doivent être gommés.

4. Une fois ton dessin terminé, colorie-le.
Si tu veux, repasse en noir le trait de crayon.
Et maintenant, à toi de jouer !

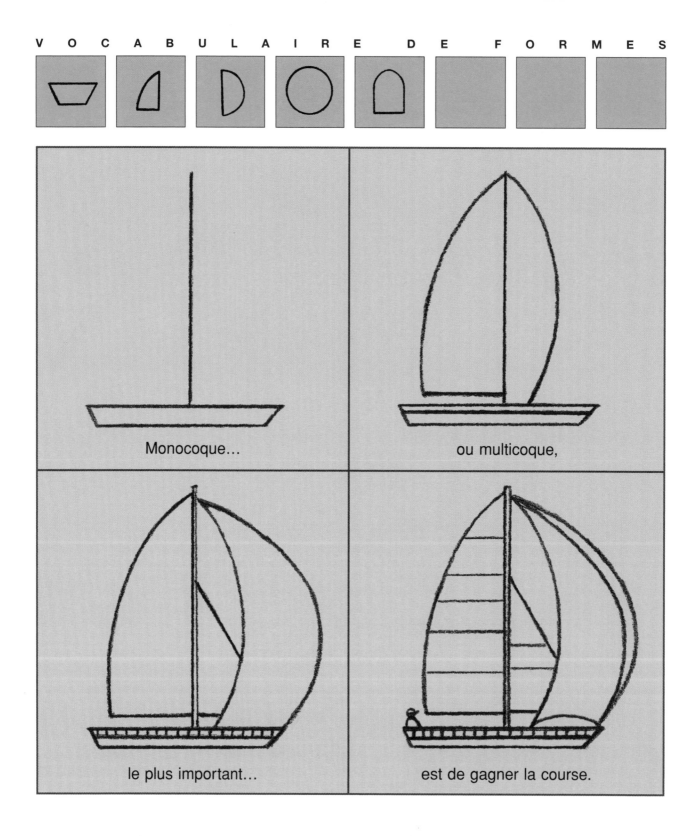

Monocoque…

ou multicoque,

le plus important…

est de gagner la course.

Le voilier de course

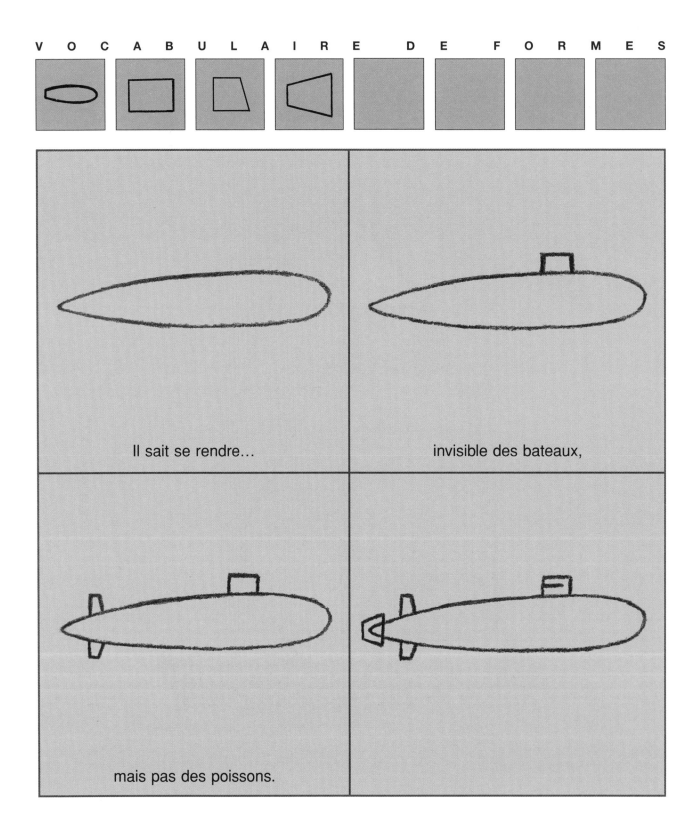

Il sait se rendre…

invisible des bateaux,

mais pas des poissons.

Le sous-marin

Depuis trois mille ans,

la jonque   sillonne...

la mer de Chine.

La jonque chinoise

VOCABULAIRE DE FORMES

Partir dans les mers du Sud...

et regarder sauter les dauphins,

c'est le rêve...

de tous les marins.

La goélette

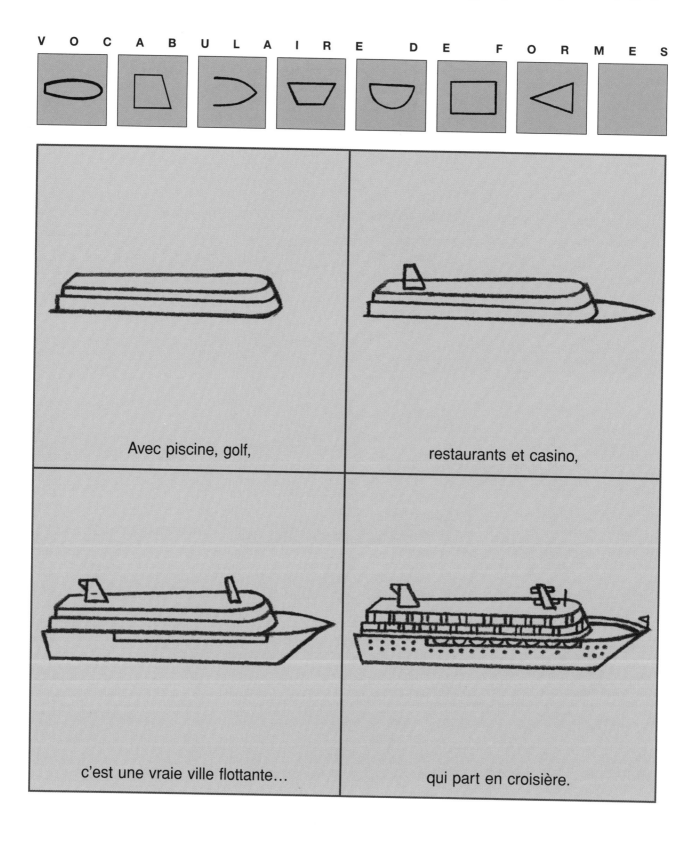

Avec piscine, golf,

restaurants et casino,

c'est une vraie ville flottante...

qui part en croisière.

Le paquebot

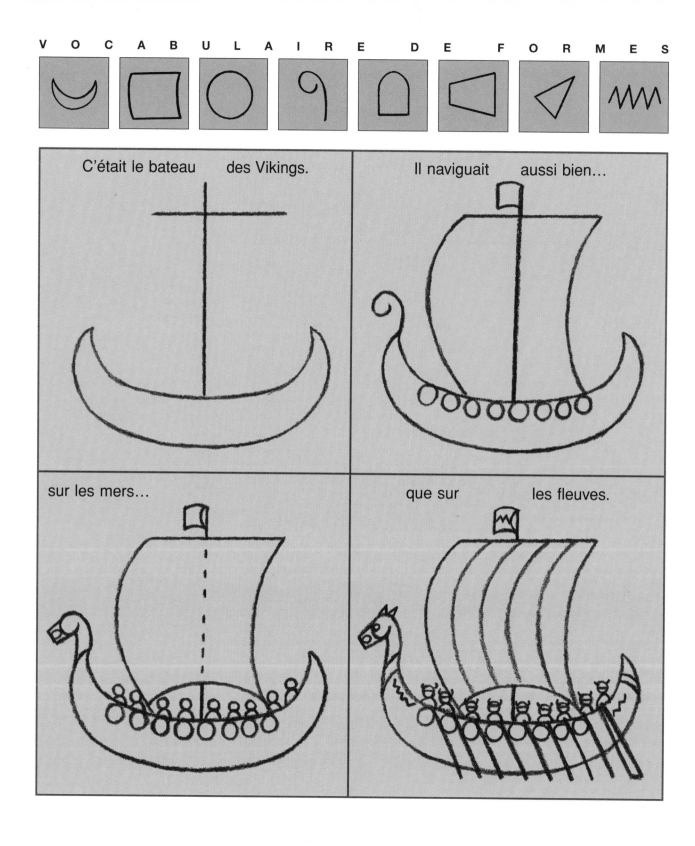

VOCABULAIRE DE FORMES

C'était le bateau   des Vikings.

Il naviguait   aussi bien…

sur les mers…

que sur   les fleuves.

Le drakkar

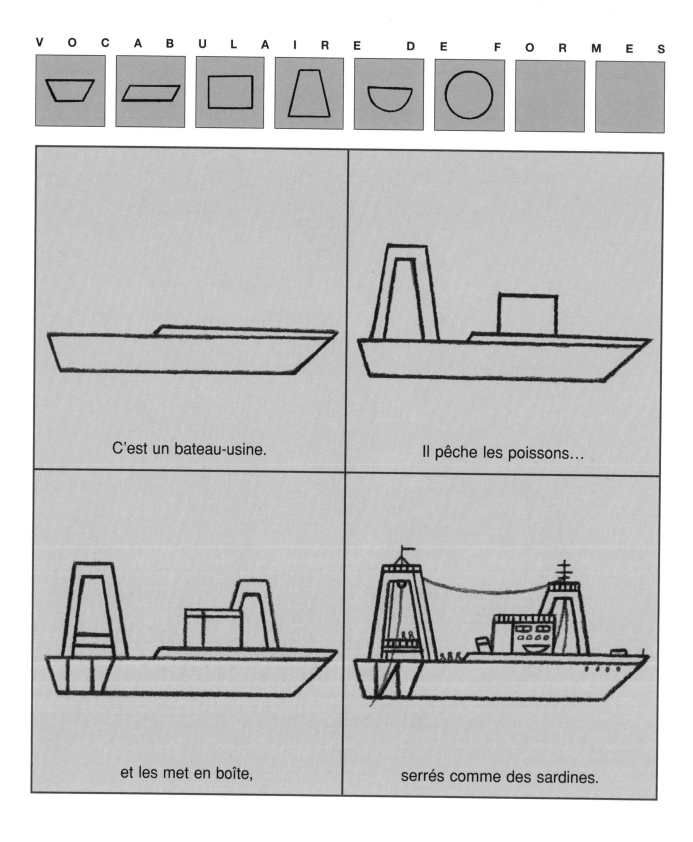

C'est un bateau-usine.

Il pêche les poissons…

et les met en boîte,

serrés comme des sardines.

Le chalutier

Les fers aux pieds,

le galérien devait ramer…

afin que vogue la galère.

La galère romaine

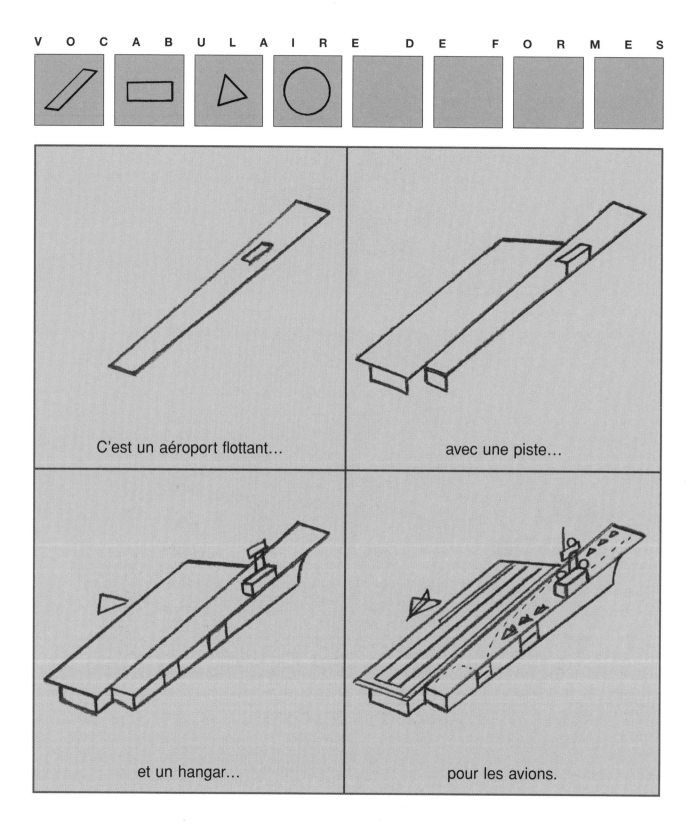

C'est un aéroport flottant...

avec une piste...

et un hangar...

pour les avions.

Le porte-avions

À voile ou à moteur, dans le calme ou la tempête, les bateaux sillonnent les mers.

D'un coup de crayon, fais voguer tes navires et pars avec eux en voyage !

Collection J'apprends à dessiner

Les compilations

Direction éditoriale : Christophe Savouré
Édition : Valérie Monnet et Charline Ibanez
Direction artistique : Danielle Capellazzi
et Thérèse Jauze
Conception graphique : Isabelle Bochot
2e édition - n° 92339

© Groupe Fleurus, Paris, mai 2003
Dépôt légal : mai 2003
ISBN 2-215-07448-5 / ISSN 1257-9629
Gravure : Quat'coul à Toulouse
Achevé d'imprimer en juillet 2003 sur les presses de l'imprimerie
Partenaires-Livres® / cl, France